Premium
SLAM
DUNK
슬램덩크 완전판 프리미엄
TAKEHIKO INOUE

04

● CONTENTS ●

SLAM DUNK

슬램덩크 오리지널 컬러에디션

TAKEHIKO INOUE

04

● CONTENTS ●

#34 주역등장

기다리고 있었어!!

장백호다!

우와〜!! 드디어 등장이다. 백호형!!

호오!!

나왔구나, 저 녀석!!

따 따 따 따

무모해!

오옷〜! 백호가 나왔다!!

어쨌든 내려가보자!!

그래도 백호라니…

북산고가 승부를 포기하고 요행을 노리는 것 같아.

믿을 수 없는 기용이야〜!!

오!

오!

소리 지르며 나가자!!

자, 치수가 없을수록 우리가 힘내야 한다!!

넷!!

우와!

힘내라, 백호야!!

좋았어!

백호의 시야

두목
원숭이!!

윽…!!

※ 시야가 극단적으로 좁아져 있다.

와아!!
백호형과
덕규형!!

볼만한데!!

이 녀석이
내 마크맨
이냐!!

오오오…
오너라!!

SHOHOKU
10

덕규형!!

이… 이게 도대체…?!

⋯⋯⋯⋯

백호의 시야

아무것도 안 들려!!

아무것도 안 보여!

이래서 백호를 썼구나!

큰일이야. 쟤, 너무 긴장했어.

미안해, 뻔덕규. 일부러 그런 게 아냐.

아냐… 괜찮아…

똑바로 못하겠어!!

넌 퇴장감이야!!

아무것도 안 들려!!

백호야,
괜찮아?

백호 넌
할 수 있어.
우선 마음을
가라앉히고….

아무것도
안 들려!!

침착
해!

정신차려,
백호야!

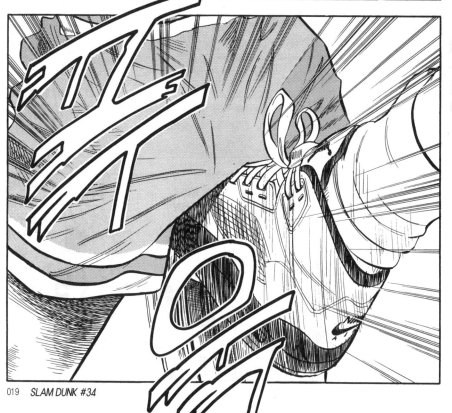

멍청한
녀석!

뭣이…!!

이 돌대가리야!
언제까지
긴장만 하고
있을 거야?

백호의 시야

바보
녀석.

오옷!
움직임이
좋아졌는걸!

누가
긴장을 해?!
아앙?!

뭐라고?
이 여우같은
녀석아!!

당연히
너지!

좋아졌어!

아아~
치수만
없으면
항상….

그…
그만둬!
지금은
시합중이야!!

서태웅…!!

전방
떨기는

망할 놈의
빨강머리
같으니….

그래,
괜찮아…!!

덕규 주장,
괜찮아요?

와하하!!

임마!
웃기지
마라!!

저 사람은
강백호라고
하는데,
북산의 차기
주장이래요.

힘내요,
주장!!

저 녀석이
말야?

차기
주장이라고?

소문에 의하면
채치수
주장한테도
이겼대요!!

저…
정말이에요!!

치수를
이겼다고?

⋯⋯⋯

경태야
⋯.

투샷
—!!

그건
거짓말일
거다⋯.

변덕규는
자유투가
서툴렀다.

좋아ー,
아직
7점 차!!

하지만
리바운드는
능남이
잡았어!!

좋았어
ー!!

뭐라구?!

임마!
이번엔 너를
마크해줄까?
어엉?

백호야!
변덕규를
막아!!

자!
1골 넣어요,
주장!!

저 빨강머린
아무 것도
아녜요!!

너무 깔봤나…? 저런 녀석한테 커트 당할 줄은….

쳇….

그래, 영수야! 포기하지 말고…!

와앗?!

감독님!! 바로 이거군요! 볼에 대한 집념!!

이 녀석이… 또….

감독님!!

랜찮으세요? 감독님!!

이런….

으….

이제 앞섰어요!!

제법이네, 강백호…!!

제길…! 잡을 수 있었는데….

저 꼴대가 방해 했어…

파이팅! 좋았어, 백호야!!

정말 아까웠어!!

화나 죽겠는데…

뭐… 그런 거지!!

끝까지 포기하지 않고 볼을 쫓는다!! 그렇죠, 감독님?!

집착!!

백호형 덕분에 중요한 사실을 하나 배웠어요!!

흥! 집념만으로 농구가 된다더냐.

스피드도 있어요, 저 녀석.

게다가 저 민첩하고 다이나믹한 움직임…!!

마치 짐승 같았어!!

점점 흥분되는걸 …!!

짐승?

대… 대협아!

어느새 이렇게 쫓아왔지…?

좋아-! 수비해, 수비!!

힘내자!! 할 수 있다!!

1골 막아내자!

자, 한골 넣자!!

재미있군…!

영수야!!

정태야!!

태환아!!

대협아!!

계속 나한테
볼을
패스해!!

확실히
골을
넣어줄
테다!!

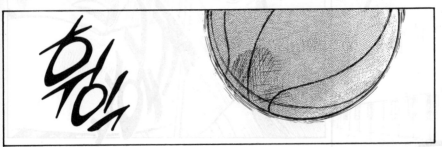

SLAM
DUNK

슬램덩크 완전판 프리미엄

#36 유감독의 오산

변덕규의 볼을 빼앗았어!!

와아아아앗~ 빼앗았다!!

잘은 모르겠지만, 저 빨강머리 굉장해!!

믿을 수 없어!!

아... 아!!

백호 녀석, 엄청난 투지인걸!!

벌써부터 백호의 필살기가 나오잖아!!

(단행본 1권 참조)

저건 고릴라와의 승부때 보여준 훅훅 디펜스야!!

자아, 너희들─!!

내 발목만은 잡지 마라!!

완전히 순풍에 돛 달았어!!

우와─!!

건방떨기는….

좋았어!!

간다!!

그래서 차기 주장이라고 한 거에요!!

저… 저 녀석 사실은 대단한 선수인걸….

응응

멍청이들!! 맨발에다 실내화 따위를 신은 녀석이 뭐가 굉장해!!

저런 수비는 처음 봤어….

응 응 응

……

가난이 뭐길래….

그런 말씀 하시면 안되는 거에요….

뭐라구?!

감독님! 그런 말씀 마세요!!

2~3년 후에는 혹시 모르겠다만….

디펜스! 한 골만 막자!!

확실히 움직임은 빠르지만 저건 농구의 움직임이 아냐!! 곧 실력이 드러날 거다!!

잘들 봐라, 너희들! 저 녀석은 아직 풋내기야!!

예… 옛!!

RYONAN RYONAN

내겐 소연이하고 특훈을 한 풋내기 슛이 있단 말이다!!

무리하지 마~!!

천재가 던지는 풋내기 슛!!

받아라, 변덕규!!

아앗, 백호야!!

이런!!

!!

어엇?!

원숭이 주장 제법인걸…

나… 나의 풋내기 슛을 쳐내다니…

백호야, 패스!!

혼자서는 안돼!!

매일 꾸준한 트레이닝을 해온 노력의 결과야.

작년에 채치수에게 진 뒤부터 덕규 선배는 다리와 허리를 기초부터 다시 닦았지.

멍청한 놈! 그렇게 간단히 득점을 허용할 덕규형이 아냐!!

주장의 수비는 보통 실력이 아니란 말이다!!

녀석은
날카롭다!!

상당히
예리해!!

뭐
？

왓하
하하
그런 게
아니
라구!!

백호 녀석…
오늘 준호
선배의 컨디션이
좋은 걸 알고
있었나…？

크윽…
인정하긴
싫지만…

그렇죠,
감독님!!
역시
비밀무기였어!!

감독님
…

저 녀석이…

서태웅
따위에게
내가
패스할 줄
알고…!!

후후후후훗
…

♯37
고릴라가 없는 동안에

핫 핫 핫!

오옷-!
저것 봐!
완전
기고만장이야!

쪽팔려!

알아, 알아!

이젠 막
나가는
구나!!

완전상이!

바로
내 덕분
이야!!

모두제~!

모르겠어….
저 녀석의
정체를…!!

단순한
멍청이로만
생각했는데…

능남의 유감독은
지금껏
경험해보지
못했던
초조함을
느끼기 시작하고
있었다.

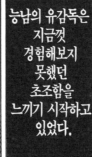

와!
와!

이렇게
될 줄은
정말
몰랐어…

으…!!

인정하고 싶진 않지만 두뇌플레이를 하고 있어!!

우리 수비의 허점을 찔러 서태웅이 아닌 준호에게 패스할 줄은…. 더구나 한 번도 아니고 두 번씩….

정말 비밀무기라면… 너석이 서태웅과 같은 레벨의 선수라면… 우리가 전국대회에 나가는데 최대의 걸림돌은 북산이 되겠는걸….

영산선생님.. 대체 뭐라 냉정하다가.. 않았더가 없어..

이 너석 정말 짜증 나는군….

비밀 무기 맞죠!!

조금 전까지도 딱딱하게 굳었던 주제에….

그런가 …?

영감님!! 비밀무기 사용이 적중했어요!

나이스 교체!!에요 조금 늦긴 했지만 용서해줄게요.

앗?!

태웅아?

윤대협!!

우와아 ─ 해냈다!!

7 0 5 6 5

태웅아!!

왜 그래? 무슨 일이야?

나이스! 윤대협!!

시끄럿ㅡ!!

우욱ㅡ

무슨 짓이야,
백호야!!
태웅이는 혼자
윤대협을
마크하느라
지친 거야!!

넌 방금
나왔으니까
힘이 남아돌지만
말야!!

북산을
대표하는
남자로서
용서할 수 없다!!
형편없는 놈ㅡ!!

누가 맛이
갔다고?

뭐, 지금
한창
기고만장
이니까….

우욱 왈

자기가 언제
북산을
대표하는
남자가
된 거야…?

이봐요,
감독님!
교체해요!!
서태웅은 이제
맛이 가….

윽
….!

너 말이야, 너!!

시끄럿! 그냥 미끄러졌을 뿐이야.

하필이면 치수가 없는 지금….

또… 또 시작이다….

둘 다 고집불통 이야!!

수퍼루키!!

암, 그래야지.

!!

뭐?!

계속해요.

교체는 없습니다.

으... 역시 저 둘이야!!

이번엔 틀림없이 콤비 플레이를 할 거다!

서태웅을 마크해!

필요없어!

너한텐 안 줘!!

내 힘으로 차지한다!

#38 REBOUND

전국에서도 톱클래스의 …!!

확실히 저 녀석이 우리 학교로 왔다면 굉장한 팀이 됐을 거예요.

이제와서 그런 소리 한들 뭘해!!

대협이와 서태웅의 콤비플레이… 생각만 해도 가슴이 설레이는데요.

완전히 북산고의 에이스잖아!

저 녀석, 정말 얼마전까지 중학생이었던 거 맞아?

지금 득점으로 벌써 19득점이야!!

작년에 대협이가 그랬듯이….

어쨌든… 올해 전국대회 예선… 서태웅의 데뷔는 틀림없이 화려할 거야.

그러기 위해서도 대협아!!

지금 그 녀석을 혼내줘라!!

그러나 우리는 질 수 없어!!

흥····

얕보지
마라!!

휴우ー.

지독한
녀석….

저 녀석이
어느 정도의
선수냐에 따라
승패의 향방이
바뀔 것이다.

그리고 기분
나쁜 건
저 녀석이야.
10번 강백호…!!

이런
…!!

····

리바운드가
문제야!!
빌어먹을!!

최수가 없으니
당장
이 모양이야.

5분
남았어!!

라스트
5분!!

남은 시간
5분!!

남

국

농구에 있어서
리바운드는
그야말로
승패에 엄청난
영향을 주는
요소인 것이다.

반대로
리바운드를
못 잡는 팀은
언제나
공격당하는
느낌을
받게 된다.

리바운드를
많이 잡으면
그만큼
자기편의 볼이 될
기회도 많아지며,
결과적으로
공격 시간이
길어진다.

리바운드 —

그것은
노골된 볼을
잡는 것이다.

더구나
리바운드가 강하면
주위의 선수들이
마음놓고 슛을
날릴 수 있는 것이다.

이에 비해
북산은
⑩ 강백호 188cm
⑪ 서태웅 187cm
⑤ 권준호
178cm!!

게다가
태웅이는
많이
지쳤고…!!

능남은
④ 변덕규 202cm
⑦ 윤대협 190cm
⑤ 허태환 183cm

백호가
잘한다지만
채치수 선배만큼은
무리이고….

Dr. T

리바운드……

우와아아아!!!

지금 저 녀석 저런 말도 안되는 점프를 하다니?!

이… 이봐… 대체?!

나이스 리바운드!!

배… 배… 백호야!! 너란 녀석은 정말….

저거야!!

저 점프력!!

좋아, 좋아! 점프볼이다.

우리 볼이나 마찬가지야!

*헬드볼, 헬드볼!!

치수야…!! 이게 바로 어젯밤의 특별훈련의 성과냐…?!

굉장해…. 이런 식으로 간다면 아직 해볼만 해!!

이 시합은 내가 제압한다!

리바운드를 제압하는 자가 시합을 제압한다 !!

흣흣흣흣….

※헬드볼: 서로 다른 팀의 선수가 동시에 볼을 잡아, 어느 쪽 볼인지 알 수 없게 되는 것.

훗훗훗훗훗.

지기 싫다, 이거지?!

그게 네 맘대로 될 거 같냐?!

내가 제압 한다!!

· · · · · · · ·

알았지! 농구의 뜨거운 맛을 가르쳐줘라!!

훗훗훗! 내가 제압한다!

덕규야!!

점프볼!! 북산고 10번과 능남고 6번!!

네!!

이제 라스트 5분이야!!

따라잡자!!

네엣!!

핫핫핫핫!!

역전이야, 역젠!!

아냐. 조금전 리바운드 봤잖아…! 엄청난 점프였어….

잘난 척 하기는….

젠장… 뭐가 리바운드 왕이야…. 빨강머리 주제에….

소연이도 이 천재의 활약을 보고 있을까…?!

앗!!

머리가 빨개서 그런 거 아냐?

아나! 움직임이 보통이 아냐!!

저 녀석 정말 대단해!

아까부터 계속 눈에 띄는걸!!

모두가 말 주목하는 구나…. 무리도 아니지.

아… 알았어.

백호야!! 시합 중에 한눈 팔지 마!!

앗!!

백호야!!

리바운드!!

농구가 결코 쉽지 않다는 걸 가르쳐줘라!

눌러버려라 덕규야…!!

．．．．．．．

역시 그렇군…!!

과연 안선생님이야…!! 제가 완전히 속았습니다!!

녀석은 역시 풋내기였어!!

⑩ 강백호!!

자아, 리바운드 다!!

잡아, 백호야!!

알았어!!

윽

소질은 있어!! 스피드와 점프력은 인정해….

하지만 녀석의 리바운드는 그냥 높이 뛰고 있는 것뿐, 간단한 기초조차 모르고 있어!!

당황할
필요
없어.

침착하게
공격하는
거야!

그래,
대협아!

!

대협아
…!!

자…

가볼까!!

이 순간 한나는—
항상 침착한
어떤 실력있는
스모 선수가
떠올랐다고
한다….

아무리
공격해도
당황하지
않습니다!!

그리고
상대를
잘 보고
있습니다!

전혀
허점이 없어!!

설마 앞으로
한 점도
못 넣는 건….

리바운드
해!!

치수도
없는데…
정신 차려,
권준호!!

바보같이!!
내가 이러면
어떻게 해!

하나만
막자!!

죽을
각오로
막아야해!

HOHOKU
5

백호야
*스크린
아웃이야!!

10

!!

응?

풋내기야!!

역시 이 녀석은
스크린 아웃이
뭔지도 몰라!!

시끄러워욧
ー!!

농구는
결코
쉬운 것이
아니다!!

그건
기초
중의
기초!

※스크린 아웃: 리바운드하기에 유리한 위치를
확보하기 위해 하는 블로킹 플레이.

소연아!!

모두
내 덕분
이지!!

백호야!

핫핫핫!
그건 모두
이 천재님
덕분이야!!

앗!

승급

7 6 3 7 0

6점
차네!!

굉장한걸!
많이 따라
붙었네!!

선수 교체 부탁합니다!!

네!!

시합 중에 어물거리지 마!!

으윽...!

백호야... 제발 시합에만 신경써!!

저 웬수...

부상당하고도 멀쩡하잖아...!!

고릴라의 부활!

우와아아! 북산의 괴물이 돌아왔다!!

고릴라가 돌아왔어!

고릴라!!

휴식은
1분만이네.

라스트 2분에
승부를
걸겠네.

할 수
있겠지?!

가자,
북산고!!

밀어붙여라!
북산!!

자,
남은
시간은
3분!!

치수선배!!

오빠!!

고릴라!!

7 6 2 7 2

이 녀석…!!

양보할 것 없다!!

왜 그러냐? 변덕규!

잘 들어!
리바운드를 잡느냐
못 잡느냐는 골밑에서
좋은 자리를
차지하느냐 못하느냐에
달려 있는 거야!!

너는
그 포지션
싸움이
전혀 틀렸어.

정말
시끄러….

이 안에
상대를
들어가게
놔둬서는
안돼!!

너처럼
쉽게 뚫려선
아무것도
안되는 거다!!

으
….

좋은 포지션은
여기하고
여기! 여기!!

그건
우연에
지나지
않아!

으….

쳇…
그래도
하나
잡았는데
…!

흥!

응?

물론 상대도
같은 생각일
것이다.

너보다
먼저 안쪽을
차지하려고
들겠지.

골밑은 전쟁터다!!

자기편의 골밑을 사수하지 않으면 안돼!!

손으로 밀면 파울이야!!

웃!!

발로 차도 안돼!!

으윽ㅡ!

틀렸어~!!

좀더 자세를 낮춰! 몇 번을 말해야돼!!

#41 천재

너희들이 열심히 해서 시합에 나가게 되면 우리팀은 더욱 세질걸!!

한나 선배!!

상대는 도대회 4강이야!

우리 선배들이 이렇게 셀 줄이야!!

믿을 수가 없어! 우리가 여기까지 따라오다니!!

서태웅도 강백호도 같은 1학년이니까.

너희들도 하면 돼!!

나도 시합에 나가고 싶어…!!

디펜스-!!

수비해!!

그… 그래요!!

멋있어…

확실히 강하다!
30점차를
내라고 한 건
내 실수였어….
너무 얕본 거야!

그러나 솔직히
북산고가
이렇게까지
선전할 줄은
몰랐다.

침착해라,
경태야!

우린 지지
않는다!!

우리는
지지 않는다!!

하지만
그렇다고 해도

디펜스ㅡ!!

수비해!!

욱!!

능남 북산

산

와아앗,
역전
이다!!

드디어
능남이
역전
당했어!!

지금부터다!!

응?

어쩌지?
기초도 잘 모르는
강백호로는
상대가 안돼!

내가
녀석을 맡을까?!
그럼 변덕규는
어떡하지?!

서태웅을 내보내자!!

멤버 체인지!!

훗훗훗
윤대협
잊진
않았겠지?

네 녀석은
내가
쓰러뜨린다!

!!

신장도
비슷하고….
하지만…

더 이상
백호로는
통하지
않겠어….

그건
지금 뛰고 있는
선수 중에서는
백호만이 윤대협에
지지 않는
스피드를 가지고
있어….

백호만으로는
안되겠는걸!!

대단한 놈이야
저 7번…

왜 백호가
저 녀석을
마크하지?!

그게
당연한 거
아니겠어?!

….

아아~!

아까는 허를
찔렸지만
다음엔
절대…!!

자자…
잠깐만…
고릴라!!

응
?!

윤대협은
내가 맡는다.

처음부터
너에겐
무리였어!

너를
탓하는 게
아니야!!

녀석은
지는 건
못 참아!

그렇게 간단하게
당했으니
이대로는
참을 수
없겠지….

윤대협은……

내가
쓰러뜨리
겠어!

잘 따라 잡았다.

음… 고릴라….

저기… 지금 건 말예요….

…………!!

이대로 질 수는 없다!!

제
길
!!

지금까지
느긋하게
플레이 하던
윤대협이….

저것 봐,
그 증거로….

숨을
헐떡이고
있어…!!

제길!
조금만
빨랐어도…

다른 9명과
마찬가지로!!

아
…!!

#43 라스트 2분

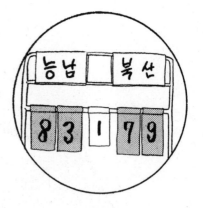

우와~!
북산고
감독이
일어섰다!!

승부를
걸려는
거야!!

여지껏
꼼짝도
안하던 감독이
움직였어!!

역시
감독이었어….
저 사람!!

뭣….

이 바보들이!!

나도.
응넘
응넘

나도.

나도
그래.

너무 꼼짝 안해서
켄터키 후라이드
할아버지를
갖다 놓은 줄
알았어!!

으…
안 읽혀!!
전혀
못 읽겠어!!

이 판국에
무슨 작전이
있을려구
…?!

옛날엔
맹장으로
소문난
안선생님
이었지만…

싫어요.

그렇겐 못해요!!

뭐라구 - 요?!
안돼요, 할아버지!!

홋·홋·홋!!

자···
잠깐만요!!
꼰대
감독님···

이봐요!

꼰대···.

지시는 타임을 걸고 해주세요. 시합진행에 방해가···.

이제 끝났네.

그런 건 전혀 아깝지 않아.

조금전 저의 그 아까운 플레이 보셨죠?! 환상적인···.

삐 삐 빽 ㅡ !!

그…
그렇군요.
이런 굉장한
수비는….

아냐….
그런 게
아냐.

처음
봤다.

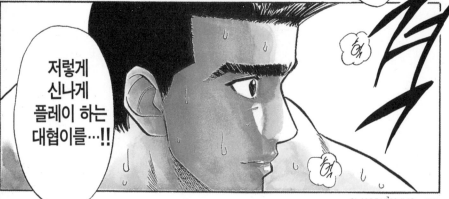

저렇게
신나게
플레이 하는
대협이를…!!

♯44 대협군이에요

시끄럿,
서태웅!!
너야말로
윤대협에게
당해
쥐까지 나서
징징 짜던
주제에…!!

이 작전도 실패야!
저런 멍청한
녀석과
콤비라니….

방심이나
하구,
얼빠진 놈!

뭐!!
뭐라고?!

자아,
덤벼라!
1학년
샌님들!!

시간이
없어.
볼을
빨리
돌려!!

디펜스ㅡ!!

디펜스ㅡ!!

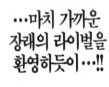

…마치 가까운
장래의 라이벌을
환영하듯이…!!

대협이형,
즐거워
보여!!
즐겁게
플레이 하고
있어…!!

정말이야…!!
감독님이 말한
대로야….

눈앞에 있는
상대와의 승부를
무아지경으로
즐기고 있어!!

저 녀석은 지금
순수하게
바스켓볼을
즐기고
있는 거야.

엉?!

임마!!
윤대협, 너 왜 나를
마크하지 않는
거야?!

너 바보냐?
우리팀의
에이스가
너 따위를
맡겠냐?!

염려하지 마.
내가 꼼짝 못하게
해줄테니!

혼자서 둘을
마크하는 건
좀 무리지!!

저
바보···

심···
심판!!

욱!!

내가 농구한 지
얼마 안됐다고
얕보는
모양인데···.
저 대협이 녀석!

제기랄···

SHOHOKU

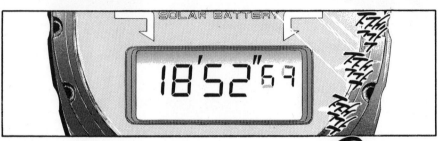

그럼…
막지 못하면
우리가
지는 건가?!

결정타로군.

……!!

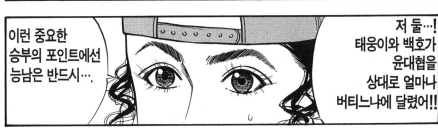

이런 중요한
승부의 포인트에선
능남은 반드시….

저 둘…!
태웅이와 백호가
윤대협을
상대로 얼마나
버티느냐에 달렸어!!

그래요.

SLAM DUNK 슬램덩크 완전판 프리미엄

#45 UNBELIEVABLE!!

※30초룰 : 볼을 가지고 있는 팀은 30초 이내에 슛하지 않으면 안된다.

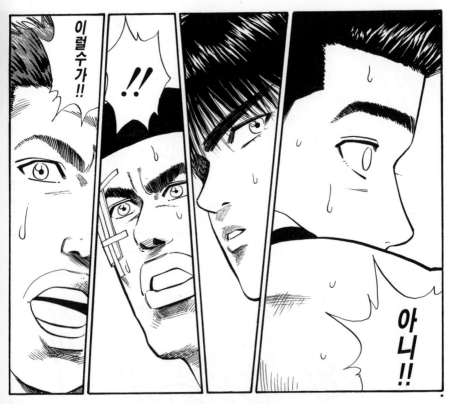

믿을 수가
없어!!

대협 선배의
타점 높은
슛이…!!

대,
대협이형이
블로킹
당했어!!

저
단순왕이
…!!

단골
퇴짜맨이!!

오오오옷!
믿겨지지 않아!
풋내기
백호가 천재를
막아냈어!!

믿,
믿을 수가
없어!!!

굉장하다 ─
백호야!!!

굉장해,
굉장해,
굉장해!

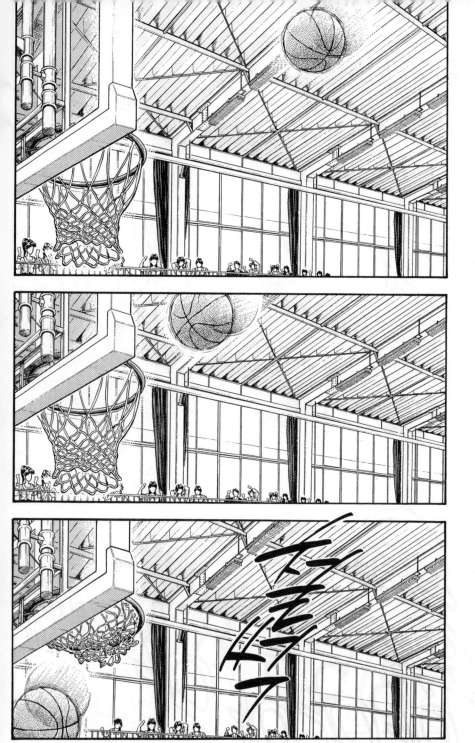

SLAM
DUNK

슬램덩크 완전판 프리미엄

[SLAM DUNK]

슬램덩크 완전판 프리미엄 4

2007년 9월 23일 1판 1쇄 발행　　2023년 2월 14일 2판 3쇄 발행

•

저자 ······ TAKEHIKO INOUE

•

발행인 : 황민호
콘텐츠1사업본부장 : 이봉석
책임편집 : 김정택/장숙희
발행처 : 대원씨아이(주)

•

서울특별시 용산구 한강대로 15길 9-12
전화 : 2071-2000 FAX : 797-1023
1992년 5월 11일 등록 제 1992-000026호

•

©1990-2022 by Takehiko Inoue and I.T.Planning, Inc.

ISBN 979-11-6944-797-3 07830
ISBN 979-11-6944-793-5 (세트)

SLAM
슬램덩크 완전판 프리미엄
DUNK